Pupi y los fantasmas

María Menéndez-Ponte

Ilustraciones de Javier Andrada

Primera edición: abril de 2008
Decimoséptima edición: junio de 2015

Edición ejecutiva: Gabriel Brandariz
Coordinación editorial: Berta Márquez
Coordinación gráfica: Lara Peces

Impresores, 2
Parque Empresarial Prado del Espino
28660 Boadilla del Monte (Madrid)
www.grupo-sm.com

ATENCIÓN AL CLIENTE
Tel.: 902 121 323 / 912 080 403
e-mail: clientes@grupo-sm.com

ISBN: 978-84-675-7537-8
Depósito legal: M-7805-2015
Impreso en la UE / *Printed in EU*

Para Ainoa, Ada y Al,
los mejores amigos de Pupi.

Pupi ha ido a pasar la noche
a casa de Nachete.

Su madre les ha apagado la luz
porque es hora de dormir.

Pero la noche resulta
demasiado emocionante
como para perderla durmiendo.
Además, ya se sabe,
cuando dos amigos están juntos,
el sueño sale huyendo por la ventana.

–A ver quién es capaz
de saltar más alto –lo reta Nachete.

Y los dos se ponen a saltar en la cama.

–¡Yo toco hasta el techo!
–grita Nachete.

–¡Y yo hasta la *chirimoya*! –chilla Pupi.

–¡Ja, ja, ja! ¡La chirimoya!
–se ríe Nachete.

Nachete

Pupi se contagia de su risa,
aunque no sabe
que es porque ha confundido
la chimenea con una fruta.

Y los dos continúan saltando,
cada vez más alto.

–Y yo toco hasta la Luna –grita Nachete.

–Y yo toco hasta las *esteras* –chilla Pupi.

–¡Ja, ja, ja! ¡Las esteras! –se ríe Nachete.

Pupi se contagia de su risa,
aunque no sabe
que es porque ha confundido
las alfombras con las estrellas.

Al oír semejante alboroto, la mamá de Nachete acude a poner orden.

–¿Quién está dando esos golpes?

–No somos nosotros,
son los *pampasmas* –dice Pupi muy serio.
–Sí, son los fantasmas
–le asegura Nachete aguantándose la risa.

–Bueno, pues decidles a los fantasmas
que dejen de armar jaleo,
que es hora de dormir –les advierte.

Pero, nada más cerrar la puerta,
Nachete vuelve a la carga
con un nuevo reto.

–¿A que no sabes hacer
pedorretas con la boca?

–Sí que sé hacer *poporretas* –le asegura Pupi.

–¡Ja, ja, ja! ¡*Poporretas*! ¡Ja, ja, ja!

Y los dos se parten de risa.

groaar

La mamá de Nachete
vuelve a entrar en el cuarto.

–¿No os he dicho que había que dormir? No quiero semejante juerga a estas horas.

–Es que son los fantasmas, mamá, que no paran de reírse y nos despiertan.

–Bueno, ya está bien de tonterías, Nachete. ¡Callaos ya de una vez! Vais a despertar a tus hermanos.

Esta vez resisten cinco minutos cuchicheando debajo de las sábanas, pero Nachete enseguida pincha a Pupi con un nuevo reto:

–¡A ver quién lanza más lejos la almohada!

–Vale.

–¡Toma cesta!
La he metido en la papelera
–grita Nachete, entusiasmado.

Pupi agarra la almohada
y la lanza con todas sus fuerzas
haciendo volar la pantalla de la lámpara.

–¡Toma *papaya*!
–¡Ja, ja, ja! ¡*Papaya*! ¡Ja, ja, ja!

Y de nuevo se abre la puerta de la habitación.

La mamá de Nachete está bastante enfadada.

–¡A ver!
¿Cómo tengo que deciros
que no quiero este escándalo?

Nachete está a punto
de responderle otra vez
que toda la culpa es de los fantasmas,
que no paran de hacer trastadas.

Pero, de pronto, su madre repara en la pantalla abollada en el suelo.

–¿Y qué diablos habéis hecho con la lámpara?
¡Esto no puede seguir así!

–Han sido los fantasmas, mamá, de verdad –asegura Nachete, ante la perspectiva de un castigo.

–¡Y encima, arréglalo con una mentira! A ver, ¿dónde están los dichosos fantasmas? –dice cada vez más enfadada.

Pupi quiere explicarle que son invisibles, pero, en lugar de eso, añade:

–Es que son *invivibles*.

Ahora, hasta a la mamá de Nachete le da la risa.

–Vosotros sí que sois *inconvivibles*, no dejáis ni un rato de tranquilidad. Pero la próxima vez que os oiga, os pongo a dormir separados. Y hablo muy en serio.

En cuanto la máma de Nachete desaparece, los dos permanecen unos minutos tan quietos que apenas se les oye respirar, pero solo hasta que Nachete dice:

–Yo sé silbar.

–Yo también sé *sisar*.

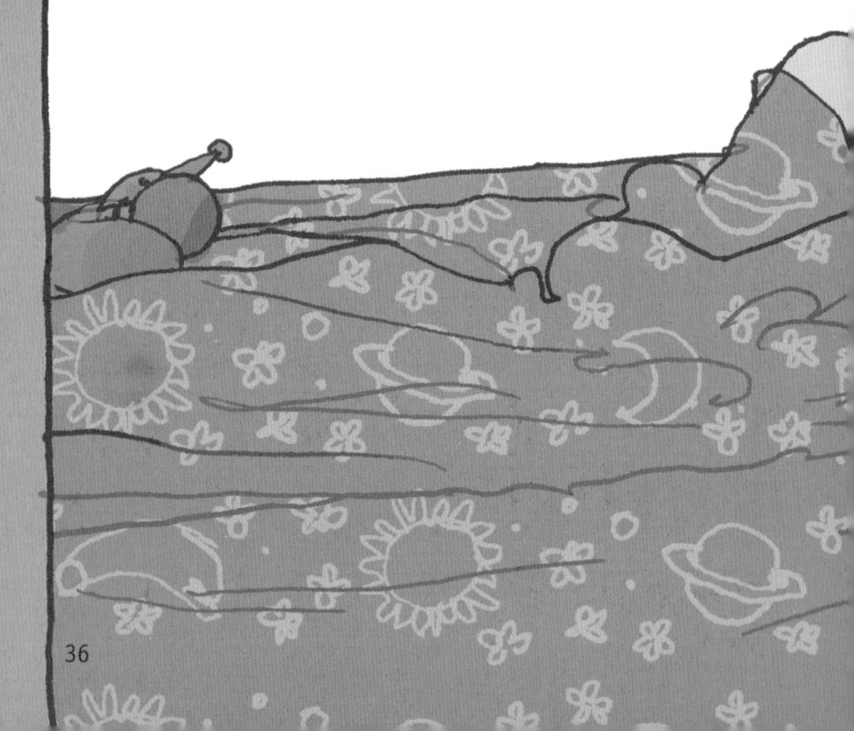

–¡Ja, ja, ja! ¡*Sisar*! ¡Ja, ja, ja!
Eso quiere decir robar.
Silbar es así, mira.

Nachete se pone a silbar bajito.

Pupi trata de imitarlo,
pero, en lugar de un silbido,
emite un estridente pitido.

A continuación,
se oyen los pasos de la mamá de Nachete
por el pasillo. Cada vez más cerca.

Pupi se pone tan nervioso que sus antenas
se convierten en dos turbinas;
y con el aire que levantan,
las cortinas se empiezan a mover.

–¡Hay fantasmas de verdad! –grita Nachete asustado.

–¡Los *pampasmas* nos quieren comer! –añade Pupi, temeroso.

Los dos se ponen a patalear, cada vez con más fuerza, porque creen que las piernas del otro son los fantasmas que tratan de agarrarlos.

–¡*Coscorro*, que me *tacan* los *pampasmas*!

La mamá de Nachete enciende la luz.

–¡Pero bueno!
¿Es que no me habéis entendido?
–dice muy enfadada.

–Esta vez es de verdad, mamá.
Hay fantasmas, te lo juro;
los hemos visto –contesta Nachete
mientras se echa en sus brazos, llorando.

–Sí, hay *pampasmas*.
A mí me han *empatado* las *tortillas*
–dice Pupi, y señala sus rodillas.
La mamá de Nachete
no se puede aguantar la risa.
En cambio, Nachete
está demasiado asustado para reírse.

–Es verdad, mamá.
Nos agarraban las piernas.
Ha sido horrible.

–Sí, y yo les di montones
de *patatas* en los *botillos*.

–Ja, ja, ja. ¡Conque patadas
en los tobillos!, ¿eh, Pupi?
–se ríe la mamá–. Me parece a mí
que tenéis mucha imaginación,
porque yo no veo ningún fantasma.

Pero Nachete está blanco
y el botón de Pupi, morado.

–Que sí, mamá, que esta vez
ha sido de verdad. Te lo juro.

—Estaban ahí, moviéndose —dice Nachete señalando las cortinas—. Y luego se metieron con nosotros en la cama. Tienes que creernos.

–¿Veis? Esto es lo que pasa
por contar mentiras,
que cuando dices la verdad, nadie te cree;
como le ocurrió a Pedro con el lobo.

–¿Qué Pedro? ¿Qué lobo?
Cuéntanoslo.

–Pues veréis. Pedro iba todos los días
al monte con sus ovejas y,
cuando llegaba arriba, empezaba a gritar:
«¡Socorro, el lobo, que se come mis ovejas!».
Sus vecinos dejaban inmediatamente
lo que estaban haciendo
y corrían con las escopetas para ayudarle.

»Pero cuando llegaban,
Pedro se echaba a reír.
«Os lo habéis tragado, qué tontos,
os lo habéis tragado», decía.

»Y los vecinos se iban,
molestos por la pesada broma.
Y así, un día tras otro.

»Hasta que un buen día,
apareció realmente el lobo.
Pedro gritó y gritó hasta desgañitarse,
pero ningún vecino le hizo caso,
pensando que era otra de sus mentiras.

»Sin embargo, ese día el lobo se comió unas cuantas ovejas.

–Yo ya no voy a decir más mentiras –declara Nachete, convencido.

–Ni yo –dice Pupi.

En cambio, ninguno de los dos quiere que la mamá de Nachete se vaya.

Y le piden que les cuente cuentos para ahuyentar a los fantasmas.

La mamá toma un libro y empieza a leer.
Pero al llegar a la segunda página,
Pupi y Nachete ya se han dormido.

TE CUENTO QUE JAVIER ANDRADA...

... cuando era pequeño vio un fantasma. Estaba en la cama, a punto de dormirse, cuando apareció. Allí, junto a la ventana... o tal vez al lado de la silla. Era alto y estaba totalmente inmóvil, mirándole. O a lo mejor no le miraba, pero lo que es seguro es que no se movía. Javier estaba también inmóvil. Paralizado de miedo, claro. Intentaba adivinar en qué momento aquel fantasma se le echaría encima. Al final acabó alargando el brazo para encender la luz. Entonces se dio cuenta de que no había fantasma, sino unos pantalones enganchados a la cinta de la persiana. Pero eso no quiere decir que los fantasmas no existan... ¿o sí?

Javier Andrada vive en Barcelona y trabaja como ilustrador para varias editoriales. Sus ilustraciones aparecen tanto en novelas como en libros de texto, cuentos, pictogramas y clásicos adaptados. Ha desarrollado proyectos para publicidad y para teatro infantil diseñando escenografías; también imparte talleres de ilustración y pinta.

TE CUENTO QUE MARÍA MENÉNDEZ-PONTE...

... vive la mayor parte del tiempo en las nubes. Sí, sí, como lo oyes: desde pequeña, en cuanto se descuidaba, su cerebro empezaba a idear historias, números de circo y un montón de aventuras. A veces, le ocurría incluso en medio de la clase y, claro, se la cargaba. Pero toda esa imaginación le ha servido para escribir libros maravillosos, como este de Pupi.

Pero María tiene otro truco: cuatro hijos a los que les gustan los cuentos tanto como a ella, y eso hace que, al final, se pase todo el día en las nubes buscando historias.

María Menéndez-Ponte nació en A Coruña. Ha escrito más de trescientos textos entre cuentos y novelas para niños y jóvenes. En 2007 recibió el Cervantes Chico, uno de los premios más prestigiosos de literatura infantil y juvenil.

Si te ha gustado este libro, visita

Allí encontrarás:

- Un montón de libros.
- Juegos, descargables y vídeos.
- Concursos, sorteos y propuestas de eventos.

¡Y mucho más!

Para padres y profesores

- Noticias de actualidad, redes sociales y suscripción al boletín.
- Propuestas de animación a la lectura.
- Fichas de recursos didácticos y actividades.